Papa pour la **première fois**

Madeleine Deny
Dr Paul Marciano

Papa pour la première fois

Bien démarrer la vie à 3

les petits Guides parents

Nathan

© 2015 Éditions Nathan, Sejer,
25, avenue Pierre-de-Coubertin, 75013 Paris
ISBN : 978-2-09-278694-9

Achevé d'imprimer en France janvier 2015 par Laballery (58500, Clamecy)
N° d'éditeur : 10208660
Dépôt légal : février 2015.
N° d'impression : 412004

Madeleine Deny est spécialiste de l'enfance
et a écrit de nombreux ouvrages sur l'éducation.
Paul Marciano est pédopsychiatre, praticien hospitalier,
psychothérapeute et spécialiste des relations familiales.

le + Internet

Posez vos questions à nos experts sur
www.grandiravecnathan.com
Une réponse personnalisée
vous sera adressée !

Sommaire

BOÎTE À OUTILS

Petites idées, coups de pouce, jeux, bons gestes
pour porter bébé, lui donner le biberon et le bain...
Piochez dans la boîte à outils ! **88**

Introduction

Pour grandir harmonieusement, un enfant a besoin que son père joue pleinement son rôle dès le début de son existence. Au cours de la grossesse, le futur papa peut déjà commencer à communiquer avec le fœtus, en lui faisant sentir sa présence par des caresses et des paroles. Après l'accouchement, c'est à travers les premiers soins que le papa et son bébé font connaissance. Dans les années qui suivent, le père va aider l'enfant à sortir de la relation fusionnelle avec la mère, à s'ouvrir aux autres, à avoir confiance en ses deux parents. Cette relation affective se construit et se renforce au fil des jours – c'est pour cela qu'il est capital de vivre pleinement sa vie de père au quotidien. Prenez donc sans attendre le chemin de la paternité heureuse, en vous engageant à 100 % dans la vie familiale. Vous partagerez alors avec votre enfant des moments uniques et privilégiés qui tisseront entre vous deux des liens forts pour toujours.

Un père, c'est primordial dès les premiers jours

C'est le comportement du papa, complémentaire de celui de la maman, qui aide à construire la personnalité de l'enfant. Dès la naissance, et tout au long de la petite enfance, le père joue un rôle majeur dans la rencontre de l'enfant avec le monde extérieur. C'est en partageant jeux et activités avec lui que le petit enfant découvre qu'il est une personne à part entière, qu'il ne forme pas avec sa maman un tout indissociable. C'est en tissant des liens d'attachement avec son papa qu'il apprend à compter sur les adultes en cas de besoin, qu'il prend peu à peu confiance en lui et acquiert l'autonomie et l'indépendance nécessaires à son équilibre.

Une bonne image du père

L'attachement père-enfant n'est pas inné, il se construit au quotidien. La participation aux soins du bébé est le premier domaine où développer sa compétence paternelle et offrir à l'enfant une bonne image du père. Le tout-petit sentira que ses deux parents savent l'un comme l'autre répondre à ses besoins et appréciera la singularité de sa relation avec chacun d'eux – chacun ayant sa façon de lui parler, de le porter, de lui donner le bain. Le père a souvent des attitudes plus ludiques, plus imprévisibles, plus physiques et moins protectrices que la mère. Elles amèneront l'enfant à développer vers l'âge de 6 ans une représentation très positive de son père, rassurante et souvent idéalisée : « Mon papa, c'est le plus beau, c'est le plus fort ! »

Le père, un parent à part entière

Il est essentiel que le père et la mère interviennent différemment dans l'éducation de l'enfant. C'est leur complémentarité qui sera bénéfique. Le papa est la figure masculine de référence autour de laquelle la petite fille ou le petit garçon va créer son identité. Les filles testeront leur féminité auprès de lui, chercheront à le séduire. Pour les garçons, le père sera le modèle masculin auquel ils s'identifieront. Sa fonction est donc fondamentale. Il n'est pas une maman *bis* lorsqu'il s'occupe de son enfant. Au contraire, il apporte quelque chose qui lui est propre.

Faire équipe avec la maman

Le père est un acteur important dans l'éveil du bébé, mais sa place dépend en partie de celle que la mère va lui laisser : elle doit accepter que son conjoint, qui passe généralement moins de temps qu'elle avec son enfant au cours des premiers mois, fasse parfois de petites erreurs, montre quelques maladresses. C'est dans la complicité, en étant toujours prêts à s'épauler, à partager les responsabilités, sans rechercher l'équité à tout prix, que l'on offre dès le départ une vie équilibrée à son enfant. C'est aussi en donnant de la valeur à ce que fait le papa débutant que celui-ci prend confiance et devient vite aussi indispensable et aussi compétent que la maman.

Le père ou l'autorité

De nos jours, père et mère, en s'impliquant tous deux à fond dans l'éducation de leur enfant, se partagent aussi l'autorité. Cependant, l'enfant va être enclin à croire que ce rôle est plus particulièrement dévolu à son papa. C'est en effet lui qui a posé le premier interdit en l'empêchant de vivre en totale fusion avec sa mère. C'est lui aussi qui, dans les jeux et les taquineries, souvent plus physiques que ceux proposés par la maman, va apprendre à l'enfant à respecter les règles et son adversaire, à maîtriser son agressivité. Les limites qu'il établit grâce à son autorité naturelle n'ont rien à voir avec l'autoritarisme du père d'antan, qui engendrait la peur. Il est celui qui sait, en accord avec la maman, être, par sa force tranquille et par son identité masculine, le garant d'une nécessaire autorité. Ses règles et ses interdits apportent la sécurité affective dont l'enfant a besoin pour développer sa personnalité.

Les pères assurent-ils ?

Même si les nouveaux pères en font plus que leurs pères et grands-pères, ils ont encore à progresser dans la participation aux tâches domestiques. En revanche, ils sont nettement plus performants lorsqu'il s'agit de faire manger les petits, de les accompagner dans leurs activités, de surveiller les devoirs des plus grands ou de lire des histoires. En effet, de nos jours, ils prennent part à plus de 40 % des tâches parentales*.

* Étude menée depuis 2002 par la sociologue Marie-Agnès Barrère-Maurisson.

Une relation père-enfant qui évolue en fonction de l'âge.

⭐ **De 1 à 3 ans :** l'enfant a entièrement confiance en son papa ; il est celui qui lui apprend à s'ouvrir au monde extérieur et à faire de grandes expériences sans l'appui de la maman.

⭐ **De 3 à 6 ans :** aux yeux de l'enfant, le papa est un véritable héros, un modèle. Le petit garçon cherche à l'imiter et la petite fille, à le séduire.

⭐ **De 7 à 12 ans :** si, depuis la naissance de son enfant, le père a construit avec lui une relation de complicité, il saura naturellement le guider vers l'autonomie. De son côté, l'enfant, en quête de nouveaux espaces de liberté, se tournera toujours vers son père en cas de problème.

Deux périodes en particulier de la vie de l'enfant correspondent à des épisodes assez difficiles ou éprouvants pour le père : les premiers mois (le bébé est alors en fusion totale avec la mère) et, bien plus tard, la classique étape d'opposition à l'adolescence.

Comme il ressemble à son papa !

Lorsque son bébé naît, le papa cherche tout de suite une ressemblance avec lui – le nez, les yeux, la forme du visage... C'est un moment fort, une sorte d'entrée en paternité où il peut enfin constater « son œuvre ». Un bébé a en effet souvent des caractéristiques physiques qui lui donnent dès les premiers jours un air de famille. La raison en est simple : il a à part égale les gènes de sa maman et de son papa.

Les chromosomes

Sur les 23 paires de chromosomes que chaque parent possède, il n'en transmet que la moitié à son enfant.

Le hasard tient donc une grande part dans les ressemblances physiques, car il est impossible de prévoir quels gènes, portés par les chromosomes, vont être transmis par les parents. Ce ne sont, en effet, jamais les mêmes gènes qui sont sélectionnés lors de la fabrication des ovules et des spermatozoïdes. C'est la multitude de combinaisons possibles de ces séries de chromosomes qui fait également qu'aucun enfant d'une fratrie (à l'exception des vrais jumeaux) n'est identique.

Couleur des cheveux, des yeux...

Tout être humain possède un gène déterminant présent en double exemplaire, l'allèle. Chaque parent donne un seul allèle à son enfant. Il existe deux sortes d'allèles : les dominants et les récessifs. L'allèle dominant est plus fort que l'allèle récessif. Un allèle peut être décisif quant à la couleur des yeux et des cheveux.

★ **La couleur des cheveux :** si un parent a les cheveux bruns et l'autre les cheveux blonds, c'est celui qui porte l'allèle brun, caractéristique dominante sur l'allèle blond récessif, qui transmettra sa couleur de cheveux.

★ **La couleur des yeux :** il est plus difficile de donner des probabilités exactes.

L'allèle brun est dominant sur le bleu, mais un parent peut, sans le savoir, être porteur de l'allèle bleu et brun, pour peu qu'un de ses ancêtres, même très lointain, ait eu les yeux bleus. Il est alors possible que deux parents aux yeux bruns aient un enfant aux yeux bleus.

En moyenne, les hommes sont pères pour la première fois à 33 ans.

Le futur papa

« Un bébé dans neuf mois ! »

Après la joie et l'excitation ressenties à l'annonce
de la grande nouvelle, le futur papa se sent parfois assez
seul pour vivre cette aventure inédite. Tout en aidant
sa compagne à bien vivre sa grossesse, il lui faut en effet,
petit à petit, se faire à l'idée d'être père. Les questions
se bousculent dans sa tête :
« Au bout de combien de temps se sent-on père ? »
« Que puis-je faire dès maintenant pour entrer
en communication avec mon bébé ? »
« Est-il normal que je me sente parfois irrité,
démoralisé, comme la future maman ? »
Pas de panique : ces inquiétudes sont bien normales,
car devenir père est un sacré bouleversement. Et si neuf
mois sont nécessaires au bébé pour être prêt à venir
au monde, ils le sont tout autant aux parents
pour s'habituer à leur nouveau rôle.

Les **premiers mois** de la **grossesse**

Pour le futur papa, les premiers mois de la grossesse sont souvent des moments délicats à vivre. Il doit soutenir sa compagne sujette à des nausées, à des moments de grande fatigue, s'adapter aux sautes d'humeur – de grands classiques du début de la grossesse. La bonne attitude sera de laisser la future maman prendre son rythme, s'habituer à son état, en mettant en sourdine, durant cette première période, ses propres interrogations et problèmes existentiels de futur papa. Un sacré défi, car il faut parfois être héroïque pour ne pas se laisser dépasser par les réactions et par les comportements inhabituels de la future maman.

Il existe une solution simple et très efficace pour calmer ses angoisses : parler avec d'autres hommes récemment devenus pères. Ces derniers sont toujours ravis de transmettre leurs expériences. Ils savent parler avec décontraction et humour de « leur » grossesse. Beaucoup diront qu'ils ont parfois eu le sentiment que leur place dans le couple était menacée par l'arrivée du bébé. Échanger avec d'autres papas fait du bien, dédramatise, et c'est aussi beaucoup plus facile que d'en parler avec une future maman fatiguée et nauséeuse !

Les inquiétudes des papas

« J'ai l'impression que personne ne pense au papa. Autour de moi, on envisage la naissance uniquement comme un événement heureux, magique… mais pas stressant le moins du monde ! »

« Jamais personne ne vous demande comment vous, vous allez. »

« Je me suis beaucoup impliqué dans la grossesse de ma femme, l'évolution du bébé dans son ventre, son bien-être… Et c'est assez frustrant de se retrouver devant des gens qui parlent de la grossesse de votre femme en ne s'adressant qu'à elle… et à elle seule. »

L'avis du pédopsychiatre

Un homme qui n'arrive pas à se sentir futur papa pendant la grossesse de sa femme, est-ce courant ? Comment ne pas culpabiliser ?

Il est en effet assez courant que l'homme ne parvienne pas facilement à se sentir futur papa. Le terme de la grossesse lui paraît loin et, contrairement à la maman, il ne vit pas dans son corps les progressives transformations. Par ailleurs, cette naissance va remodeler le couple dont les préoccupations vont, pour une bonne part, être centrées sur l'enfant. Celui-ci va monopoliser, du moins au début, la sollicitude, l'attention et la disponibilité de la mère, qui espère trouver auprès du futur père accompagnement et soutien. L'homme n'est pas toujours prêt à imaginer sereinement ses nouvelles fonctions, qui viennent bousculer le quotidien.

Qu'est-ce qui fait peur aux hommes pendant la grossesse ?

Au fur et à mesure du déroulement de la grossesse, la naissance de l'enfant se fait plus précise et plus concrète. Dès lors, le couple et l'enfant vont constituer une famille. Dans la plupart des cas, l'homme va peu à peu se sentir père, mais cette nouvelle situation peut l'inquiéter : il peut craindre, en effet, de perdre sa place au profit de l'enfant. Surtout s'il voit dans la femme avec laquelle il partage sa vie plus une mère qu'une compagne. L'enfant à venir est alors perçu comme un tiers qui va rompre une relation étroite, voire fusionnelle, entre ces deux adultes et évincer l'homme, qui aura du mal à s'installer dans la place de père.

Le **deuxième** trimestre

Le deuxième trimestre est habituellement celui où la future maman se sent le plus en forme. Un regain d'énergie lui donne envie de tout réorganiser dans la maison, de préparer la chambre du bébé ou de faire du shopping. Le futur papa doit suivre le rythme ou parfois le ralentir !

« Pour moi, le deuxième trimestre n'a pas consisté qu'en activités de bricolage, confie un papa. J'ai surtout fait ma première vraie rencontre avec mon bébé. » La deuxième échographie est en effet l'un des moments les plus marquants de la vie du futur papa. Il regarde l'image, entend le cœur du bébé et réalise ainsi de façon très concrète qu'il est bien un futur papa. Lui qui, contrairement à sa compagne, ne ressent pas physiquement l'existence du bébé dans son corps, se sent soudain très proche de ce petit être en devenir. On peut presque dire que l'échographie est un heureux événement qui officialise l'entrée en paternité de l'homme.

La 1re échographie

est destinée à confirmer la date du début de la grossesse et la date prévue pour l'accouchement. Elle permet de s'assurer qu'il n'y a aucune anomalie, que les organes du bébé sont bien en place. C'est lors de cette première échographie que les parents savent s'ils attendent un, deux bébés ou... plus.

À la 2e échographie,

le médecin pourra révéler aux parents, s'ils le souhaitent, le sexe du bébé. C'est l'examen clé des malformations fœtales. Tous les organes vitaux sont contrôlés.

La 3e échographie

permet de vérifier la bonne croissance du bébé, donne aux parents son poids supposé à la naissance et permet de relever des informations importantes pour l'accouchement.

L'avis du pédopsychiatre

. . . .

À partir de quand et de quelle façon le futur papa peut-il créer un véritable lien avec son bébé ?

Il semble que ce soit à partir du 3e trimestre de la grossesse. D'abord parce que le terme approche et que les mouvements du fœtus se font de plus en plus nombreux, ce dont la mère fait état.

C'est à cette époque aussi que le futur père touche et caresse plus volontiers le ventre de sa compagne.

C'est également à cette étape que les contacts entre les neurones, c'est-à-dire les cellules nerveuses, se développent au sein du cerveau du fœtus. Or ces contacts sont aussi fonction des nombreuses stimulations et des perceptions ressenties par le fœtus : bercements… et sons de la voix. C'est donc en s'adressant à son bébé que le père commence à établir des contacts avec lui.

Assister aux échographies, puis aux cours de préparation à l'accouchement, est-ce important ?

Assister aux échographies peut en effet aider le père à se représenter plus précisément le futur bébé, qui va ainsi occuper une place plus claire et plus importante dans son esprit. Mais il faut d'abord tenir compte des dispositions psychiques des deux parents. Assister aux échographies ne doit pas être un précepte qui peut s'appliquer sans nuances à tous les couples.

En ce qui concerne la participation à la préparation à l'accouchement, là aussi, la nuance s'impose. La mère peut vouloir faire partager ses efforts afin de rendre les contractions encore plus efficaces et le père peut ainsi anticiper l'accouchement.

La future maman peut aussi considérer que cette préparation relève exclusivement du domaine féminin, d'autant qu'au cours de ces séances elle prendra plaisir à échanger avec d'autres futures mères.

Le **troisième** trimestre

À cette période, le bébé est lourd à porter, les gros efforts ne sont plus possibles et la priorité est au repos. « Je me suis senti vraiment utile en réorganisant la vie à la maison pour que ma femme apprenne à décompresser. C'est aussi grâce aux longues siestes à deux, aux grands moments passés le soir à toucher son ventre que j'ai ressenti mes vrais premiers moments de complicité avec mon bébé. »

C'est le plus souvent autour du 7e mois de grossesse que le papa expérimente le premier contact physique avec son bébé, par le toucher : « Je l'ai senti ! » La première sensation en posant la main sur le ventre de la maman pour sentir son bébé bouger déclenche une très forte émotion. Elle donne corps à ce lien père-enfant encore très abstrait et permet de se familiariser avec ce petit corps qu'il va bientôt tenir dans ses bras.

L'haptonomie prénatale

- Consiste à entrer en contact avec le bébé *in utero* en touchant le ventre de la maman.
- Le bébé est capable de communiquer parce que tous ses organes sensoriels fonctionnent dès le 5e mois.
- On peut sentir le bébé se blottir dans la main de celui qui le caresse.
- Cet apprentissage tactile se poursuit à la maison.
- Au cours des séances d'haptonomie, le futur papa apprend aussi à aider sa femme à se relaxer.

L'avis du pédopsychiatre

L'haptonomie, est-ce une véritable communication ?

L'haptonomie est un mode de communication qui a fait ses preuves. Cependant, pour communiquer avec son enfant, il faut que le futur père en conçoive la possibilité, l'intérêt et la pertinence. En effet, ce n'est pas la technique qui fait la communication : ce n'est qu'un moyen mis à la disposition d'un père qui souhaite participer à l'échange et qui a à l'esprit la représentation de son enfant en tant que petit être sensible prêt à l'échange, même dans le ventre maternel.

Les fœtologues, qui étudient précisément la sensorialité du fœtus, estiment que le petit d'homme *in utero* est sensible aux stimulations liées aux mouvements de la mère, aux stimulations gustatives et tactiles – quand il affleure la paroi abdominale – et plus encore aux stimulations auditives. On peut donc pressentir que le toucher et la voix du père, selon les méthodes de l'haptonomie, participent à la communication et engendrent l'indispensable sécurité affective.

Cette pratique favorise-t-elle la mise en place de la sécurité affective ?

La pratique de l'haptonomie participe, à son échelle, à l'avènement de la sécurité affective du bébé, mais elle n'en est qu'un composant. En effet, la sécurité affective est prioritairement liée au sentiment de sécurité que la mère peut éprouver elle-même, surtout si le futur père est à ses côtés et est psychiquement disponible pour lui apporter le soutien et l'accompagnement dont elle a besoin.

C'est aussi grâce à cet accompagnement que la mère ainsi respectée dans sa place va établir celle du père – avec l'importance qu'elle veut lui attribuer.

Parler à son bébé

Et si vous, le futur papa, parliez à votre bébé ? Et si vous profitiez pleinement de lui avant sa naissance ? Parlez-lui, chantez pour lui, mais sachez qu'il vous faudra attendre le 6e mois pour qu'il vous entende. L'ouïe est l'un des sens les plus développés du fœtus, et les sons graves sont ceux qui voyagent le plus facilement à travers le liquide amniotique. Avoir entendu la voix de son papa *in utero* aidera le bébé à la reconnaître à sa naissance. Il retrouvera cette sensation éprouvée quelques semaines plus tôt. « Dès que je lui chante la même comptine que celle que je m'amusais à scander tout contre le ventre de ma femme, mon bébé semble être aux anges ! » raconte ce nouveau papa en parlant de son fils qui fête son 1er mois.

Le ventre d'une maman, c'est bruyant !

- Pensez à bien articuler, à parler à voix haute, sans crier, pour que le bébé vous entende.
- Tout en parlant ou en chantant, caressez le ventre de la maman pour aider le bébé à comprendre que c'est vous qui lui parlez.
- Parfois, il vous répondra à sa façon : par des petits coups !

L'avis du pédopsychiatre

À quel moment un papa peut-il commencer à communiquer par le son avec son enfant ?

Le père peut s'adresser à son futur bébé autour du 4e mois. Sa voix et ses diverses intonations liées à ses composantes émotionnelles sont importantes. Le futur père qui s'adresse à son enfant le nomme comme son fils ou sa fille. Il l'identifie comme son descendant et l'inscrit dans sa lignée généalogique. Cette adresse à l'enfant est aussi une adresse à la mère, qui se voit reconnue dans sa capacité à donner la vie.

Peut-on dire que le bébé reconnaît son papa à la naissance si celui-ci s'est beaucoup manifesté pendant la grossesse en lui parlant ?

Les psychanalystes, qui se sont beaucoup intéressés à la grossesse, au fœtus et au bébé, qualifient ces moments d'épisodes déterminants pour la vie ultérieure de l'enfant. Parler à son petit est certes important à condition qu'il s'agisse d'une véritable adresse, c'est-à-dire de la prise en compte du futur bébé comme sujet. À la naissance, le bébé reconnaît son père qui lui a parlé, d'autant mieux que le père reconnaît son enfant comme le fruit de la relation amoureuse mais déjà « autre » et, insistons sur cet aspect, comme sujet différent.

La **grossesse** du père

Les futurs pères traversent parfois des moments difficiles en attendant l'arrivée du bébé : « Je suis enceinte d'un peu plus de 7 mois, confie une maman, et tout se passe bien, sauf que mon compagnon est de plus en plus irritable. On dirait parfois que c'est lui, la femme enceinte ! »

Les hommes, qui, de nos jours, sont de plus en plus impliqués dans la grossesse, ressentent en effet parfois à leur tour des symptômes physiques : irritabilité, épisode dépressif, nausées, douleurs abdominales, prise de poids... Appelé « couvade » ou « grossesse sympathique », ce syndrome concernerait 20 % des futurs pères. Les causes de ce mimétisme sont multiples. On peut penser que le papa somatise ou que c'est une réaction physiologique. Une étude menée par des chercheurs canadiens a montré que les bouleversements hormonaux ne concernent pas seulement les femmes enceintes : leurs compagnons aussi sont sujets à de fortes variations. Dans tous les cas, la couvade se soigne simplement : par une activité physique régulière et une alimentation saine.

La couvade

Ce terme proviendrait d'une coutume basque du Moyen Âge : au moment de l'accouchement, le père se couchait, se plaignait des douleurs de l'enfantement et recevait des soins. Marco Polo fait aussi une description de couvade dans l'un de ses récits de voyage en Asie.

L'avis du pédopsychiatre

· ·

Quels bouleversements psychiques peut connaître un futur papa ?

La naissance d'un enfant peut induire un bouleversement psychique chez le futur père : on peut parler d'anxiété liée au déroulement de la grossesse et à la perspective de l'accouchement. Cette inquiétude est parfois accompagnée d'un sentiment d'insécurité engendré par les interrogations du père sur sa capacité à exercer sa paternité.

Il peut aussi exister des interrogations, cette fois plus secrètes, concernant les compétences de la future mère à exercer sa fonction maternante. En effet, il est parfois difficile d'anticiper l'exercice de la fonction de mère. Être femme et être mère sont deux choses différentes, qui peuvent ne pas cohabiter de manière harmonieuse. Le père peut aussi craindre de voir l'enfant confisquer la mère.

Enfin le futur père, pétri d'anxiété, peut encore présenter des symptômes somatiques, qui touchent le plus souvent la sphère digestive et abdominale.

La future maman a-t-elle un rôle à jouer pour aider son compagnon à devenir père ?

D'une part, la mère pourra, dès les premières heures, solliciter le père pour donner des soins au bébé, valider ses compétences malgré certaines maladresses, l'inviter à établir une relation avec le bébé, l'inciter à le porter... D'autre part, dans le domaine psychologique, le rôle de la mère est encore plus déterminant. C'est elle qui donne au père sa fonction de tiers. Elle l'invite à occuper cette place d'« autre » qui permettra la différenciation entre l'enfant et elle-même. Elle l'incite à créer de l'altérité, pour que l'enfant, la mère et le père soient désormais dans une relation triangulaire, indispensable pour que l'enfant accède à une place de sujet. Là est sa fonction primordiale.

> LES ESSENTIELS
La croissance du fœtus semaine après semaine

3e semaine > L'embryon mesure 2 mm. Le cœur est en formation et commence à battre. La tête est présente, les membres ne sont pas encore formés.

4e semaine > L'embryon a doublé de taille, il ressemble à un têtard de 4 mm de long. C'est au début du 2e mois que les membres vont commencer à se former.

5e semaine > Les yeux, les oreilles et la bouche se dessinent petit à petit. Les membres grandissent. Le cerveau prend forme.

6e semaine > L'embryon mesure de 1 à 1,5 cm. Son tube digestif est en formation.

7e semaine > L'embryon mesure de 1,5 à 2,5 cm. Il commence à bouger, mais les mouvements ne sont pas encore perceptibles par la maman.

8e semaine > L'ossification du squelette commence, le sexe se forme, le système circulatoire est constitué. À la fin de la 8e semaine, l'embryon bouge et se retourne, mais la maman ne le sent pas.

9e semaine > Même s'ils sont encore immatures, tous les organes vitaux sont en place. L'embryon passe au stade de fœtus. Il a toutes les caractéristiques de l'être humain, mesure une dizaine de centimètres et pèse 50 g. Les prochains mois vont lui servir à bien se développer.

3e mois > Le corps du fœtus est formé. Les premiers poils apparaissent. Le bébé commence à entendre les battements du cœur, la voix de sa maman et certains sons extérieurs.

4e mois > Le fœtus remue beaucoup et l'on peut commencer à le sentir bouger. Cheveux et duvet poussent. Ses organes deviennent fonctionnels, son cœur bat en moyenne à 140-150 pulsations par minute, ses reins fonctionnent. Il mesure environ 15 cm et pèse 200 g. Les premiers réflexes de succion apparaissent.

5e mois > Le fœtus bouge beaucoup. Ses yeux sont clos mais il réagit aux stimulations visuelles et entend de mieux en mieux les sons extérieurs. Il boit le liquide amniotique, ses poumons se sont développés et les mouvements respiratoires sont visibles à l'échographie. Le sexe est suffisamment développé pour qu'on puisse le voir à l'échographie. Le fœtus mesure 25 cm et pèse environ 500 g.

6e mois > À la fin du 6e mois il pèse environ 1 kg. Son appareil auditif est achevé. Il gigote beaucoup, car il a encore suffisamment d'espace dans le ventre de la maman pour bouger aisément. Il commence à sucer son pouce.

7e mois > Ses paupières s'ouvrent. Il a grossi de 500 g en un mois. Son corps se couvre d'un enduit graisseux protecteur, le vernix. Bébé commence à se sentir à l'étroit. Il est viable.

8e mois > Le fœtus se prépare à la sortie, il bascule et se positionne généralement la tête en bas. Sa peau s'épaissit, il accumule de la graisse et grossit d'environ 250 g par semaine.

9e mois > Le bébé est à l'étroit et bouge peu. Il pèse en moyenne 3 kg, mesure 50 cm et continue à prendre 100 g de poids par semaine en attendant le moment de l'accouchement.

Suivre la croissance du bébé, se préparer à son arrivée

★ La 1ʳᵉ échographie se pratique entre la 9ᵉ et la 11ᵉ semaine de grossesse. Vous verrez votre bébé sur l'écran et entendrez les battements de son cœur. Vous apercevrez sa tête, son profil, l'ébauche de ses membres, son ventre, les différents organes, notamment son cœur, que vous pourrez écouter et dont on mesurera la fréquence.

★ La 2ᵉ échographie se pratique entre la 20ᵉ et la 22ᵉ semaine. C'est le moment où vous pourrez connaître, si vous le désirez, le sexe de votre enfant...

★ La 3ᵉ échographie se pratique entre la 31ᵉ et la 32ᵉ semaine. Dans la majorité des cas, vous verrez le bébé, la tête en bas, prêt à sortir. Il n'apparaîtra à l'écran qu'en partie, car il est trop grand pour être fixé sur une image en entier.

★ Les images des échographies classiques en 2D sont en noir et blanc et manquent de netteté. Vous ne pourrez pas les lire sans l'aide de l'échographiste.

★ L'échographie 3D traite les images en volume et vous montrera votre bébé tel qu'il est réellement.

★ L'échographie 4D permet de voir « en direct » tous les mouvements que fait bébé (sucer son pouce, bouger ses bras, ses jambes...). Des images impressionnantes qui vous rapprocheront encore plus de votre bébé.

★ La période idéale pour réaliser les échographies en 3D et/ou 4D se situe entre la 22ᵉ et la 30ᵉ semaine. Mais sachez que vous n'aurez de très belles images que si le bébé est dans une position favorable.

Communiquer avec son bébé

⭐ C'est intimidant de parler devant un ventre ! Ce sont les premiers mots les plus difficiles à dire. Commencez par des petites phrases très simples :
« C'est ton papa qui te dit bonjour ! »
« Papa te souhaite une bonne nuit, bien au chaud. »

⭐ Vous verrez ensuite que, très naturellement, vous apprendrez à parler à votre bébé. Même s'il ne vous répond pas, soyez sûr qu'il apprécie de vous entendre.

La préparation à l'accouchement

⭐ Elle consiste en huit cours auxquels les hommes sont invités à participer. Vous y recevrez les mêmes informations que votre femme sur les meilleures façons de réagir face aux contractions.

⭐ On vous donnera de bons conseils pour la soulager par des massages et par des exercices de relaxation.

⭐ Beaucoup de parents préfèrent faire appel à une sage-femme libérale pour la préparation à l'accouchement, car ses horaires sont plus souples que ceux des cours proposés par la maternité.

Une maison prête

⭐ Tous les préparatifs pour l'arrivée du bébé se font en équipe, sauf, bien sûr, les gros travaux de bricolage et de peinture.

⭐ N'hésitez pas à faire des échanges de services si vous avez des amis dans la même situation.

⭐ Ils seront ravis de vous donner un coup de main un week-end si vous leur rendez la pareille... Vous en profiterez pour échanger entre futurs papas !

Papa pendant l'accouchement

Voir son enfant venir au monde est un moment de bonheur

unique, chargé d'émotion, et les pères, le plus souvent, désirent être présents au côté de leur femme pendant l'accouchement. Après avoir suivi la croissance de son bébé pendant neuf mois, le papa ne veut pas rater la grande arrivée. Pourtant, beaucoup d'hommes appréhendent la partie médicale de l'accouchement. Ces interrogations sont courantes et doivent être relativisées. Aucun papa, même le plus émotif, n'a jamais regretté d'avoir assisté à l'accouchement de sa femme. Mais ceux qui n'ont pas envie d'y assister peuvent se tranquilliser : la présence du papa à la naissance n'est ni une obligation ni un handicap pour l'établissement du lien avec l'enfant.

Assister à
l'**accouchement**

Entre le départ à la maternité après les premiers signes annonciateurs de l'accouchement, le papa a bien des choses à faire, et d'abord, il lui faut faire preuve d'esprit pratique. Préparer, à l'avance, tout ce qui va faciliter le départ et l'arrivée à la maternité est rassurant pour la maman. « Plein d'essence, trajet *bis* en cas d'embouteillage, pièces de monnaie pour le distributeur de boissons à la cafétéria de la maternité, batterie du portable toujours chargée, j'avais tout prévu ! » raconte fièrement un nouveau papa.

À côté de ces aspects matériels, il faut aussi entourer sa compagne, l'aider à se détendre, soutenir son moral pendant les longues heures d'attente. Lorsque le couple entre enfin en salle de travail, encourager sa compagne, la rassurer, comprendre ses craintes ou sa douleur et communiquer avec l'équipe médicale permettent de se sentir vraiment utile et de ne pas être un simple spectateur. C'est pour cela qu'il est important de savoir avant le jour J comment se déroule un accouchement.

Environ 80 % des papas assistent à l'accouchement. Pour la naissance d'un premier enfant, le travail dure entre 8 et 10 heures.

L'avis du pédopsychiatre

Assister à l'accouchement pour un papa est aujourd'hui très fréquent. Cela modifie-t-il les tout premiers liens père-bébé ?

Même si les salles de travail restent encore prioritairement le domaine des femmes, les pères y trouvent aujourd'hui leur place. C'est là que s'expriment l'émotion du père et son anxiété mêlée de joie et de plaisir dans la perspective de la naissance. Il est le plus souvent sensible au « travail » effectué par sa compagne, à ses efforts et à sa douleur et peut être pour elle un véritable soutien. Cette proximité l'associe à l'acte d'enfantement, comme si cette mise au monde était de leur fait à tous deux.

En cas de césarienne, le père pourra être présent, en particulier au cours des tout premiers soins du bébé et en porter témoignage à la mère. Cette fonction est éminemment précieuse dans la mesure où le père raconte le bébé à la mère.

Comment comprendre les futurs papas qui ne veulent pas assister à l'accouchement ?

Leur réticence doit être respectée. Cette grande proximité avec l'intimité de la femme peut leur être insupportable dans la mesure où ils pourraient craindre que l'aspect désirable du corps de leur compagne n'en soit définitivement affecté.... que ces chairs en quelque sorte meurtries perdent tout attrait ultérieur.

Il peut aussi s'agir tout simplement d'une gêne ou d'une inhibition liées à l'appartenance culturelle ou d'une crainte de nature phobique des espaces médicaux. Il peut encore s'agir – et cela risque d'être préoccupant pour l'avenir – d'une attitude de déni de la part du père qui refuse la naissance car il voit dans ce petit être celui qui lui dérobe ou lui confisque sa femme.

Couper le **cordon**

Enfin, bébé est là ! On le pose sur la maman quelques instants, puis c'est le papa qui devient le centre de toutes les attentions. On lui propose en effet de couper le cordon ombilical.

C'est un acte très émouvant qui a une forte valeur symbolique. Si vous n'osez pas ou si vous ne souhaitez pas l'accomplir, personne ne vous y obligera. À l'étape suivante, celle des premiers soins, le papa est aussi très fréquemment sollicité : il pourra, s'il le souhaite, accompagner la sage-femme. C'est son premier moment seul avec son bébé, sans la maman !

Pendant la grossesse, c'est par le cordon que passe la nourriture et que s'évacuent les déchets du fœtus.

À la naissance, il est généralement sectionné par le papa – entre deux pinces posées par l'accoucheur. C'est un acte indolore pour la mère et l'enfant.

L'avis du pédopsychiatre

Couper le cordon ombilical est un geste éminemment symbolique...

Il s'agit d'un geste fort, très connoté sur le plan symbolique, à condition que le père le fasse en conscience. En effet, il s'approprie ainsi une part de la mise au monde du bébé et marque d'emblée la non-appartenance exclusive de l'enfant à sa mère. Sa présence est dès lors soulignée, elle est mise en acte et introduit le bébé dans le registre de la différence.

Que dire à un futur papa qui a des appréhensions face à cet acte ?

Précisons que cette pratique, très courante aujourd'hui, s'est un peu dénaturée et il est possible que certains pères n'y souscrivent plus dans la mesure où elle s'est un peu vidée de son sens et qu'elle n'est plus qu'un geste d'allure chirurgicale.

Couper le cordon ombilical n'est pas non plus le seul marqueur de l'existence et de la place du père. Ce dernier peut tout à fait occuper sa place selon d'autres modalités, soutenu en cela par la mère, et n'a aucun sentiment de culpabilité à éprouver.

Le séjour à la **maternité**

Quand le papa rentre chez lui en laissant maman et bébé à la maternité, il est généralement très excité et totalement épuisé. Il ne s'en rend pas toujours compte, car il est pris dans un tourbillon d'appels téléphoniques ou d'invitations à fêter l'heureux événement. Le stress de l'accouchement et le manque de sommeil peuvent lui jouer des tours : « J'étais tellement heureux et excité que j'ai très peu dormi pendant que ma femme était à la maternité. Résultat : j'ai craqué et j'ai eu un gros coup de déprime juste avant son retour à la maison », confie un jeune papa. Mieux vaut donc, pendant le séjour de la maman à la maternité, veiller à bien s'occuper de soi : en décompressant, en préparant un peu la maison et en dormant... beaucoup !

Les nuits complètes vont en effet se faire rares dans les mois à venir. Profiter de ces deux ou trois jours pour recharger ses batteries est impératif. La maman, encore très fatiguée lors de son retour à la maison, lui en sera reconnaissante et bébé sera ravi d'avoir un papa en forme pour le bercer de jour comme de nuit.

Bon à savoir

- Les mamans sortent de la maternité de plus en plus tôt.
- Le séjour à la maternité dure de 3 à 5 jours.
- Une sortie précoce est possible au bout de 2 jours, si la maman et l'enfant se portent bien.
- En cas de césarienne, le bébé et la maman restent 5 jours à la maternité.

L'avis du pédopsychiatre

. . . .

Se retrouver seul chez soi pendant que sa compagne et son bébé sont ensemble à la maternité... est-ce parfois difficile ?

Le père peut se sentir évincé de la relation privilégiée entre le bébé et sa mère, surtout si celle-ci consacre toute son attention et toute sa sollicitude à l'enfant.

Par ailleurs, il peut avoir à faire face à des tâches ménagères ou aux derniers achats pour accueillir bébé, qui viennent s'ajouter aux nombreux déplacements qu'il doit effectuer entre la maison et la maternité. Il faut cependant pondérer ces inconvénients dans la mesure où le séjour à la maternité est malheureusement très court.

Le papa d'un bébé prématuré va-t-il trouver sa place dans un service de néonatalogie ?

La naissance d'un prématuré inquiète toujours beaucoup les parents, qui s'interrogent avec anxiété sur le risque vital et sur les éventuelles séquelles neurologiques. Le rôle du père est déterminant et précieux dans ces circonstances : il peut renseigner la mère, qui est encore à la maternité, sur la santé du bébé qui est admis dans le service de néonatalogie. Il fait le lien.

Depuis quelques années, certains services de réanimation néonatale, ayant parfaitement identifié les situations de stress et de privations relationnelles des bébés en couveuse, préconisent la technique du « peau à peau ». Par ce contact, cette proximité, cette intimité, s'établit un rapprochement qui permet au bébé de trouver progressivement une certaine sérénité liée aux bercements, aux odeurs familières, aux mots apaisants qui lui sont destinés. Le père peut jouer à cette occasion un rôle éminemment précieux qui vient le conforter dans sa fonction.

> LES ESSENTIELS
Les étapes
de l'accouchement

Pour trouver sa place au cours de l'accouchement, il est important d'en connaître le déroulement étape par étape.

Le travail > La dilatation du col de l'utérus débute quand les contractions se font régulières. L'ouverture lente et progressive suit le rythme des contractions. Le muscle utérin pousse le bébé vers le bassin maternel. C'est la phase la plus lente. C'est au cours de cette période que l'anesthésiste, sauf contre-indication, fait la péridurale : l'injection d'un analgésique dans la moelle épinière.

L'expulsion > Cette phase, qui dure en moyenne 30 minutes lors d'un premier accouchement, démarre lorsque le col de l'utérus est complètement ouvert. L'effort de poussée exigé de la maman est important. Cette dernière suit les conseils de la sage-femme : elle inspire, bloque sa respiration, pousse vers le bas. La tête du bébé se dirige vers la sortie, la sage-femme dégage les épaules, puis le reste du corps. Bébé est né et il est posé sur sa maman pour un premier contact.

La délivrance > De 15 à 20 minutes après la naissance, cette dernière phase consiste en de légères contractions qui correspondent au décollement et à l'expulsion du placenta.

Les préparatifs avant le départ à la maternité

★ Préparez ensemble tout ce qui va permettre à la maman de vivre confortablement une longue période – nuits comprises : brosse à dents, chewing-gum, pièces de monnaie, livre, lingettes rafraîchissantes, vaporisateur d'eau thermale, tee-shirt de rechange...

★ Munissez-vous des papiers dont vous aurez besoin en arrivant à la maternité : carte Vitale, carte de mutuelle, carte d'identité, livret de famille, carte de suivi de grossesse, éventuellement carte de groupe sanguin.

À la maternité Pendant le travail

★ La phase de travail peut être longue. N'hésitez pas à aller prendre l'air, surtout si vous sentez que vous n'êtes pas, à certains moments, d'un grand secours pour votre compagne. Il suffit parfois d'un bon bol d'air, d'un appel téléphonique à un ami – papa de préférence – pour recharger ses batteries.

Pendant l'accouchement

★ Parler à sa compagne, lui tenir la main, accompagner ses exercices de respiration l'aideront à mieux supporter la douleur. Entre les contractions, massez-lui les mains, les pieds et les épaules. Vous pouvez aussi l'aider à visualiser son bébé qui descend dans son bassin.

★ N'hésitez pas à sortir de la salle d'accouchement quelques instants si la vue du sang ou les cris sont éprouvants. Bien des pères l'ont fait avant vous. Vous pouvez demander à être appelé juste au moment où le bébé est vraiment prêt à sortir.

Papa après l'accouchement

Dans certaines maternités,

on propose au papa, guidé par la sage-femme, de donner son premier bain au bébé. Même si vous avez un peu la tête dans les nuages, pensez à prendre quelques photos du bébé qui vient de naître – ou même à le filmer – dès que l'équipe médicale vous y autorise. C'est un bonheur immense de les revoir des mois, puis des années plus tard.

Le congé de **paternité**

De nos jours, les pères sont de plus en plus nombreux à prendre leur congé de paternité. Sauf contraintes impératives de travail, ils souhaitent tout naturellement accompagner les débuts de leur bébé dans la vie en restant à la maison. Les mamans apprécient évidemment cette présence et cette aide.

Ces premiers jours à trois à la maison sont des moments à la fois très émouvants, assez fatigants et un peu inquiétants. L'équipe de la maternité n'est plus là pour expliquer et rassurer sans cesse. Afin que tout se passe le mieux possible, la maman, qui a besoin de récupérer, sera ravie de voir le papa cuisiner et s'occuper du ménage, sans pour autant se cantonner aux seules tâches domestiques. Le congé de paternité est surtout l'occasion de faire connaissance avec son bébé. « Quand il a fallu donner son premier bain à la maison à notre fille... j'étais le plus doué ! Je m'en suis donc chargé chaque jour de mon congé... des moments de tête à tête inoubliables », raconte un papa. Faire partie de « l'équipe » des parents débutants permet au papa de se sentir utile, de trouver facilement sa place dans sa toute jeune famille.

Le congé de paternité en chiffres

- Le papa a droit à 11 jours de congés payés pour la naissance d'un enfant, de 18 jours en cas de naissance multiple, qui s'ajoutent aux 3 jours d'absence autorisés par l'employeur lors d'une naissance.
- Ce congé s'applique à l'ensemble des salariés, travailleurs indépendants, travailleurs agricoles, fonctionnaires et chômeurs indemnisés.
- Il doit être pris au cours des 4 mois qui suivent la naissance.

L'avis du pédopsychiatre

. . . .

Le congé de paternité est un droit qui a été accordé très tard. C'est pourtant une période de connaissance mutuelle fondamentale.

Le congé de paternité mériterait d'être prolongé et pourrait ainsi avoir plusieurs incidences favorables : il permettrait au père d'être plus présent à la maternité et, de retour à la maison, de soutenir davantage sur le plan psychologique la jeune maman, en particulier quand l'accouchement a été compliqué, éprouvant ou lors d'une naissance prématurée.

Enfin, si l'aîné des enfants manifeste ostensiblement son désappointement à l'arrivée de celui qu'il considère comme surnuméraire, le père peut favoriser l'établissement de liens moins conflictuels et permettre au plus grand d'avoir le sentiment que sa place est malgré tout sauvegardée au sein de cette famille reconfigurée.

Précisons néanmoins que l'augmentation de la durée du congé de paternité ne se justifierait qu'à condition que le père souhaite l'investir comme un moment utile pour favoriser une véritable rencontre avec son enfant.

Créer sa **propre relation** avec bébé

En s'impliquant dans les soins à donner à l'enfant, en profitant de toutes les occasions de s'occuper de lui, le papa devient vite aussi compétent que la maman. Il peut lui arriver de ressentir un peu de tristesse lorsque le tout-petit semble apprécier davantage les bras de sa maman que ceux de son papa. C'est pourtant tout à fait normal : le bébé, encore imprégné de ses sensations *in utero*, retrouve un peu de sa vie d'avant à travers la voix et l'odeur de sa maman. Au contraire, il a presque tout à apprendre sur son papa. C'est donc grâce aux expériences partagées – le bain, les changes, les câlins, les biberons – que va se tisser au fil des jours le lien affectif papa-bébé.

C'est le rôle de la maman de le favoriser, en montrant à son bébé qu'elle a plaisir à le confier à son papa. Le tout-petit saura très vite apprécier la compagnie de ses deux parents et reconnaître la spécificité de chacun.

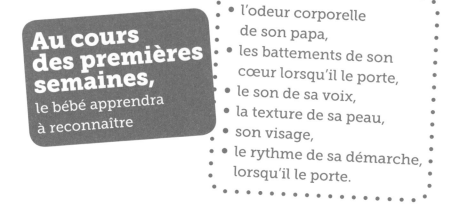

Au cours des premières semaines, le bébé apprendra à reconnaître

- l'odeur corporelle de son papa,
- les battements de son cœur lorsqu'il le porte,
- le son de sa voix,
- la texture de sa peau,
- son visage,
- le rythme de sa démarche, lorsqu'il le porte.

L'avis du pédopsychiatre

On parle beaucoup de l'importance d'un bon attachement mère-enfant. Doit-on en déduire que la relation père-enfant est secondaire ?

On ne peut pas dire que la relation père-enfant soit secondaire. Elle est peut être seconde, c'est-à-dire qu'elle respecte la relation de l'enfant avec la mère, mais le père a tout à fait sa place au sein de cette intimité et il peut être très clairement identifié par le bébé au cours des soins qu'il lui prodigue, par exemple.

Cette question donne l'occasion de préciser le concept d'attachement. Il est fondamental pour le bébé que des liens étroits se tissent encore et encore avec la mère dans une dimension physique – contacts, portages... – mais aussi dans une dimension psychique. Le bébé reconnaît sa mère par tous ses attributs. Elle est la même, toujours identifiable, et répond au mieux à ses attentes. Le bébé qui pleure peut anticiper son arrivée et sa fonction apaisante. La mère est ainsi perçue comme objet de réassurance. Elle est indispensable pour qu'advienne ce fondamental sentiment de sécurité.

Le père a-t-il aussi un rôle à jouer ?

En effet, pour que la jeune maman puisse être dans cette disposition d'accueil et de contenance de son bébé, il est essentiel qu'elle soit elle-même sécurisée, accompagnée et encouragée. Le rôle du père est donc déterminant car il soutient la mère dans cette précieuse fonction.

Le **baby blues** du papa

Il n'y a pas si longtemps, le père voyait d'assez loin la naissance de son enfant. De nos jours, s'il vit tout aussi intensément que la maman l'arrivée du bébé à la maison, il se peut qu'il connaisse lui aussi une période de dépression. Les nouvelles responsabilités, l'impression de perdre sa liberté, la peur que le bébé ne lui vole sa place, la crainte de ne pas être un bon père, de ne pas suffisamment aimer son enfant... tous ces sentiments qui l'assaillent peuvent le faire culpabiliser et engendrer des sautes d'humeur. Ce phénomène, le « baby blues du papa », est assez courant et atteint surtout ceux qui idéalisent beaucoup la vie de famille avec un tout-petit.

Pour vaincre le baby blues, il est important d'éviter certains pièges : culpabiliser, s'isoler, fuir en se plongeant dans le travail, taire ses angoisses. Une naissance est un choc émotionnel important... et il est normal qu'un papa se sente parfois un peu perdu dans son nouveau rôle.

La déprime post-partum

Le baby blues du papa se manifeste par :

- du stress, de la tristesse, un manque d'appétit,
- de l'insomnie, une baisse d'énergie,
- une difficulté à se concentrer, à prendre des décisions...

L'avis du pédopsychiatre

Le baby blues du papa est-il le même que celui de la maman ? Les conséquences peuvent-elles influencer durablement la relation père-enfant ?

Il me semble que le baby blues du papa, une fois authentifié, n'est en rien comparable avec celui de la mère. Et cela pour plusieurs raisons. La mère dispose d'un système neuro-endocrinien spécifique, et la diminution brutale des hormones en fin de grossesse déclenche l'accouchement. L'enfant qui naît crée un vide interne, qui contraste massivement avec le sentiment de plénitude qu'éprouvait la maman. L'accouchement équivaut pour elle à une perte, qui peut être accompagnée d'éléments dépressifs, d'autant que le bébé de la réalité ne correspond pas toujours au bébé imaginaire.

Pour le père, il en va autrement : l'arrivée de l'enfant crée un « plus » et non une perte. Mais il peut aussi éprouver un sentiment de perte qui concerne l'objet d'amour qu'est son épouse ou sa compagne, qu'il voit mobilisée pour un autre. Il peut encore éprouver une certaine déception quand l'enfant n'est pas tout à fait celui qu'il s'était représenté. Il y a chez lui déception et anxiété parfois mêlées à un sentiment de rivalité vis-à-vis de cet enfant qui monopolise la mère et qu'il va avoir parfois du mal à investir. C'est à cet égard que les relations père-enfant peuvent être contrariées.

L'allaitement

S'il est un domaine dans lequel le papa ne peut remplacer la maman, c'est bien l'allaitement. Pour ne pas se sentir exclu, le père peut cependant se rendre utile au moment des repas du bébé. « Dès que j'en ai l'occasion, c'est moi qui fais faire son rot à ma fille après la tétée. Le plus souvent, repue, elle se blottit ensuite contre moi et s'endort », explique un papa qui semble très satisfait de participer de cette façon à l'allaitement.

D'autres veillent à ce que tout se déroule au mieux durant la tétée : ils mettent de la musique douce, baissent les lumières, filtrent les appels téléphoniques afin que la tranquillité de la maman et du bébé soit préservée. C'est aussi une belle façon de soutenir sa femme. Cet accompagnement est également une manière très naturelle d'éviter que maman et bébé ne s'isolent pendant l'allaitement.

Au moment du sevrage, un papa qui aura participé à sa manière à l'allaitement saura plus facilement comment se comporter pour donner le biberon, et le bébé n'aura aucune réticence à être nourri par l'un ou l'autre de ses parents.

60 % des mamans allaitent à la sortie de la maternité. 20 % continuent à allaiter après 1 mois. De 5 à 10 % poursuivent l'allaitement après 2 mois.

L'avis du pédopsychiatre

La relation fusionnelle mère-enfant est très forte pendant l'allaitement, comment ne pas se sentir de trop lorsqu'on est le père ?

Il est vrai que la relation mère-enfant est très dense lors de l'allaitement... mais pourquoi la considérer comme exclusive ? L'important est que le père soit présent physiquement et que sa place soit reconnue par la mère.

Comment le père peut-il mettre en place à son tour une vraie complicité ?

Le père peut ressentir son utilité auprès du tout-petit et établir une relation de grande proximité par d'autres biais : en veillant à son bien-être, à sa sérénité, à son confort et à sa sécurité. Cessons de vouloir mettre sur le même plan le père et la mère ! Ils sont différents et ont des façons spécifiques de se comporter vis-à-vis du bébé, toutes aussi riches les unes que les autres. C'est justement cette différence qui fonde la spécificité du petit d'homme, qui sait repérer qu'il est le fruit du rapport et des rapports entre deux êtres singuliers dans leur façon d'agir et dans leur façon d'être.

Les **nuits** difficiles

Avant l'âge de 3 mois, peu de bébés dorment toute la nuit. La faim, les petits désordres intestinaux, le besoin d'être rassurés les réveillent. Le papa peut participer à cette vie nocturne : en donnant le biberon, en amenant le bébé à sa maman pour la tétée, en le changeant ou en le réconfortant.

L'arrivée du bébé nécessite souvent de modifier ses habitudes de sommeil. En se levant dès le premier pleur, en sachant se relaxer au moment de se recoucher, on apprend vite à dormir autrement.

Prendre part aux nuits difficiles est une façon de soulager sa compagne, mais aussi de montrer à l'enfant que, de jour comme de nuit, papa est aussi compétent et aussi indispensable que maman.

Le sommeil du nouveau-né

- Le 1er mois, le bébé dort en moyenne 16 heures sur 24.
- Il apprend le rythme jour-nuit spontanément à partir du 2e ou du 3e mois.
- Vers 3-4 mois, les périodes de sommeil nocturne augmentent, en passant de 6 à 9 heures.
- Jusqu'à 3 mois, 90 % des bébés se réveillent au moins une ou deux fois par nuit.
- De 3 à 5 mois, près des trois quarts des enfants se réveillent une ou deux fois.
- De 6 à 8 mois, les deux t.iers d'entre eux se réveillent une ou deux fois.
- De 9 à 12 mois, ils sont encore 50 % à se réveiller une ou deux fois.

L'avis du pédopsychiatre

La jeune maman a besoin de dormir pour se rétablir après l'accouchement, et le père, qui reprend le travail très vite, a aussi besoin de sommeil... Y a-t-il une répartition des tâches idéale dans ce domaine ?

Quelle que soit la répartition des tâches, fût-elle idéale, les parents ne pourront échapper à la fatigue. Le sommeil, entrecoupé de fréquents et longs réveils, est insuffisamment réparateur. Le bébé pleure la nuit : il a faim, il a soif, il convient de l'apaiser et de lui permettre de se rendormir le plus rasséréné possible. Il est donc important que les parents trouvent des aménagements en fonction de la spécificité de leur sommeil : certains préfèrent se lever en début de nuit, laissant leur conjoint assurer l'autre partie de la nuit, certains choisiront d'alterner les nuits à tour de rôle.

Comment éviter que les réveils nocturnes ne provoquent des conflits dans le couple ?

Il est important que l'un des parents ne se sente pas lésé par rapport à l'autre et, surtout, que la fatigue ne vienne pas altérer la qualité de la relation au bébé, même si parfois, de manière légitime, les parents sont à bout.

Ne perdons pas de vue que le nouveau-né a des besoins, auxquels il est important de répondre de manière la plus paisible possible. Répondre avec patience à ses appels constitue un gage pour son évolution ultérieure et l'assurance de nuits meilleures.

Cette projection dans l'avenir et l'idée que cela ira mieux une fois que le bébé aura grandi permettent souvent d'accepter un peu mieux la difficulté des premiers mois.

Les **pleurs**

Certains nourrissons pleurent beaucoup, en particulier au cours des 3 premiers mois. Ils semblent inconsolables et ont un besoin intense de câlins, de jour comme de nuit... Il est normal de se sentir parfois à bout. Même le parent le plus attentionné peut se trouver dépassé par les pleurs répétés d'un tout-petit. Il ne faut pas hésiter à avouer que l'on n'en peut plus !

La solution est d'apprendre à se relayer, à déléguer, à mettre à contribution les amis ou les parents proches. Le sport est aussi un excellent remède au stress. Dans tous les cas, il faut prendre garde à ne pas laisser s'installer des tensions avec la maman, car le bébé est une véritable éponge qui ressent toutes les tensions.

Pendant les premiers mois, pour tous les bébés du monde, pleurer est le principal moyen de communication.

- Ces pleurs sont de véritables appels à l'aide.
- Le réconfort que lui apportent ses parents dans ces moments-là donne au tout-petit la confiance et la sécurité essentielles à son bon développement affectif.

- Aucun bébé n'a la capacité de faire des « caprices ».
- Ne pas répondre à ses pleurs risque de provoquer un sentiment d'angoisse.
- En pleurant sans cesse, le bébé s'énerve et devient de plus en plus nerveux.

L'avis du pédopsychiatre

Il est parfois difficile de ne pas perdre son contrôle pendant les crises de pleurs d'un bébé...

Les crises de pleurs du bébé peuvent devenir insupportables pour les parents, il est donc essentiel d'en repérer le sens. En effet, quand, malgré les tentatives d'apaisement, ces crises ne cessent pas, les parents ont parfois le sentiment que l'enfant pleure à dessein. Il n'en est rien. Un bébé qui pleure est un bébé qui souffre, qui a soif ou qui a mal au ventre.

Pour vivre le mieux possible ces épisodes de pleurs, ne perdez pas de vue leur caractère provisoire. Pensez aussi que, *a posteriori*, vous serez fier d'avoir compris et accompagné votre bébé. Ajoutons enfin que des images parentales apaisantes seront pour le bébé, au sein de son monde interne, une référence très importante lors de futurs moments difficiles.

Prendre bébé dans son lit pour apaiser ses pleurs et gagner quelques heures de sommeil, c'est pratique, mais est-ce préjudiciable pour le couple ?

Face aux pleurs irrépressibles, tout aménagement peut être considéré comme fondé et légitime. Gagner quelques heures de sommeil peut être tout à fait précieux surtout quand la journée suivante s'annonce importante et pleine d'enjeux.

Cependant, comme tout aménagement de ce type, il doit rester temporaire d'autant que le bébé, dans sa grande clairvoyance, sait qu'il vient occuper une place qui ne lui est pas destinée. Il faut donc y mettre un terme dans un délai raisonnable. Les parents retrouveront alors leur indispensable intimité, et la place du bébé sera confortée.

> LES ESSENTIELS

Les grandes étapes du développement du bébé

Le développement du bébé mois par mois

1 mois

> Il reconnaît la voix de ses parents.
> Il s'intéresse aux objets de couleurs contrastées.
> Il manifeste un intérêt grandissant pour son environnement.

2 mois

> Il tient sa tête droite quelques instants.
> Il suit du regard les membres de son entourage.
> Il commence à sourire.

3 mois

> Il garde la tête droite quand on le tient dans les bras.
> Il essaie de soulever sa tête et ses épaules quand on le met sur le ventre.
> Il commence à gazouiller.

4 mois

> Il tient sa tête droite sans avoir besoin qu'on lui soutienne la nuque.
> Il attrape ses jouets.
> Il tourne la tête dès qu'il entend un bruit.

5 mois

> Il commence à rire.
> Il tient en position assise quelques secondes avec du soutien.
> Il secoue un hochet placé dans sa main.

6 mois

> Il commence à se retourner du ventre sur le dos.
> Il se redresse en s'appuyant sur les mains.
> Il maîtrise de mieux en mieux la position assise.

7 mois

> Il passe ce qu'il tient dans une de ses mains à l'autre sans le lâcher.
> Il commence à se déplacer en rampant.
> Il répond à son prénom et commence à babiller.

8 mois

> Il comprend la relation de cause à effet, biberon = manger ; appuyer sur un jouet musical = son.
> Il réussit à boire son biberon seul.
> Il réagit avec crainte face à des étrangers.

9 mois

> Il dit ses premiers mots de 2 syllabes.
> Il comprend les refus.
> Il réagit parfois mal quand il est séparé de ses parents.

10 mois

> Il marche à quatre pattes.
> Il comprend le « non ».
> Il fait au revoir et bravo avec les mains.

11 mois

> Il se redresse et se met debout en se tenant aux meubles.
> Il aime les jeux de coucou.
> Il mange des petits morceaux de nourriture avec ses doigts.

12 mois

> Il peut se lever seul et rester debout sans appui pendant quelques instants.
> Il imite les sons et les gestes.
> Son vocabulaire s'enrichit et il comprend les phrases simples.

Le congé de paternité

★ N'oubliez pas les formalités qui vous permettront de bénéficier du congé paternité : vous devez informer votre employeur par lettre recommandée des dates et de la durée de votre congé au moins un mois avant la date de son début et envoyer à la Caisse primaire d'assurance maladie une copie de l'acte de naissance et du livret de famille pour être indemnisé.

Facilitez-vous la vie au quotidien

★ Si vous cuisinez, doublez les quantités et mettez la moitié de vos plats au congélateur. Vous serez heureux de les trouver le jour où il n'y aura plus rien dans le réfrigérateur.

★ Pensez à limiter les visites, surtout le soir, afin de passer un temps calme et précieux avec votre bébé. Et lorsque des amis viennent, suggérez-leur d'apporter un plat cuisiné.

★ Pour gagner du temps, faites les courses sur Internet et profitez des heures gagnées le samedi matin pour faire une balade en famille.

Occupez-vous de vous... et de la maman

★ Lorsque vous le pouvez, confiez votre bébé à des proches quelques heures le week-end. Ils seront certainement ravis de s'en occuper et vous pourrez passer un peu de temps en tête à tête avec votre compagne.

⭐ Pensez à quelques attentions appréciables pour la maman : un coup de fil lors de la pause déjeuner, le petit extra gourmand acheté chez le traiteur avant de rentrer à la maison... sans oublier un bouquet de fleurs de temps en temps.

⭐ Ne vous coupez pas de vos activités, réduisez-en seulement la fréquence. C'est la meilleure méthode pour ne pas perdre vos repères, ne pas déprimer en pensant que le bébé vous bloque à la maison, vous empêche de faire du sport ou d'aller voir une expo. Prendre l'air est le meilleur moyen de recharger ses batteries avant de retrouver son bébé avec bonheur.

Papa pendant les premières années

Le papa d'aujourd'hui est bien différent de celui

des générations précédentes, qui attendait que l'enfant grandisse pour commencer à s'y intéresser. Très impliqué dès le début dans la vie de famille, c'est désormais un vrai pro de la petite enfance au même titre que la maman. Sa présence, sa tendresse, les jeux qu'il partage avec son enfant l'amènent à jouer un rôle fondamental dans son développement. Il n'est plus seulement le « séparateur », ni celui qui incarne l'autorité. Il sait aussi, à sa façon et sans rien perdre de son identité masculine, apporter l'amour, la protection et la tendresse nécessaires à l'épanouissement d'un enfant.

Le père « séparateur »

Un papa a une fonction bien spécifique : c'est un tiers indispensable à l'équilibre de l'enfant en agissant comme séparateur dans sa relation avec sa maman. Les jeux, les rituels qu'il instaure avec le tout-petit permettent d'ouvrir l'enfant au monde extérieur. Au cours des activités partagées, le papa propose des défis, il stimule, il se comporte de façon rassurante sans être aussi protecteur que la maman. C'est une sorte d'accélérateur de croissance qui pousse l'enfant à se dépasser, à réagir par lui-même, à faire sa place dans le trio parents-enfant. Le papa doit aussi savoir montrer qu'il est détenteur de l'autorité et porteur d'interdits, en s'opposant à l'enfant lorsque, vers 3 ans, ce dernier est en plein complexe d'Œdipe. Il interdit au petit garçon de posséder en exclusivité sa maman, il refuse que la petite fille la rejette pour avoir son papa tout à elle. Le papa est une base solide, indispensable, qui permet à l'enfant d'acquérir confiance en lui.

Le papa et la parole

- Le père encourage davantage le petit enfant à sortir du babillage.
- Il le fait souvent répéter, ce qui le fait progresser dans l'acquisition du langage.
- On dit que le papa a une fonction de « pont linguistique ».

L'avis du pédopsychiatre

Comment se traduit une éventuelle défaillance de la fonction paternelle ?

Le père marque les interdits et veille à ce qu'ils ne soient pas transgressés. La défaillance de la fonction paternelle peut engendrer une grande difficulté chez l'enfant à respecter les règles. Par ailleurs, cette fonction paternelle consolide le cadre interne de l'enfant, qui peut avoir l'impression, en cas de faillite, de ne plus être objet d'intérêt et d'amour. Enfin, le rôle du père est aussi de soutenir le rôle de la mère : il la reconnaît, valide son discours, ses actes et sa place, et offre ainsi à l'enfant le cadre propice à ses mécanismes d'identification.

L'équilibre du couple est-il nécessaire au développement psychoaffectif de l'enfant ?

La bonne qualité relationnelle entre les parents participe à la sécurité affective de l'enfant. Elle favorise ses identifications à la mère et au père, mais aussi à leurs propres compétences à s'entendre et à tenter de dépasser les conflits. Cette sécurité et cette capacité des parents à pacifier les relations constituent des éléments importants pour le développement de l'enfant. *A contrario* on voit combien les conflits parentaux graves engendrent de sévères inquiétudes chez l'enfant, parfois accompagnées d'importants troubles du comportement.

Jouer avec son enfant

Un papa et une maman n'ont pas la même façon de jouer avec leur enfant. C'est d'ailleurs ce que ce dernier apprécie ! Le plus souvent, la maman l'invite à dessiner, à faire des puzzles et lui raconte des histoires. Le papa propose plus volontiers des jeux toniques, laisse une plus grande autonomie, incite l'enfant à affronter des difficultés et à faire preuve d'audace.

Les pères sont aussi ceux qui mettent en place les règles et fixent les limites à ne pas dépasser dans les premiers jeux de bagarres. Ces jeux sont très utiles : ils font baisser l'agressivité de l'enfant et lui apprennent à se contrôler. Ils le préparent aussi à sa socialisation : « C'est par une activité de relaxation que j'ai appris à mon petit diable de 2 ans à ne pas systématiquement prendre le pouvoir, à s'amuser sans faire mal. Ma solution : le yoga, en imitant les postures des animaux », explique un papa. La gymnastique et les jeux sportifs sont d'excellentes activités pour éduquer en s'amusant.

Le top 5 des papas joueurs

- Lancer l'enfant et le rattraper en vol.
- Jouer à poursuivre l'enfant.
- Attraper l'enfant par les pieds en lui mettant la tête en bas.
- Faire la brouette.
- Faire des galipettes sur le lit.

L'avis du pédopsychiatre

Des études ont montré que les pères laissent à l'enfant plus d'autonomie que la mère, le poussent davantage à faire des expériences... Comment peut-on l'expliquer ?

Il est vrai que les pères se montrent beaucoup plus intrépides à l'égard de leur enfant à l'instar peut-être de ce qu'ils ont été eux-mêmes quand ils étaient petits. Ils souhaitent aussi, surtout s'il s'agit de garçons, les masculiniser, les aguerrir, en faire de vrais garçons... un peu à leur image. Il est possible enfin que les pères n'aient pas la même notion de fragilité et de vulnérabilité que les mères...

Est-il important que chaque parent garde son identité, féminine ou masculine, dans le jeu ?

Il est précieux que chaque parent veille à sa place et à son identité, quelle que soit l'activité qu'il mène avec l'enfant. Nous avons évoqué l'importance des différences et des spécificités de la mère par rapport au père. L'enfant se construit en s'enrichissant de ce qui appartient à ses deux parents, dans leur originalité respective.

L'**autorité**,
une affaire d'équipe

Dès 1 an, un enfant a besoin qu'on lui fixe des limites pour se sécuriser. Mais le papa d'aujourd'hui n'est plus un père qui fait peur, celui que la maman menace de prévenir lorsque l'enfant fait une bêtise. C'est un être qui pouponne, de la même façon que la maman materne. C'est également celui qui, comme la mère, dit non quand il le faut, fixe les règles, selon l'âge de l'enfant, et pose les balises nécessaires à son bon développement.

Ce partage des responsabilités et la cohérence éducative entre parents sont nécessaires à l'enfant. « Notre enfant sait très bien faire la différence entre le papa ou la maman qui jouent et câlinent et le père et la mère qui exigent qu'on leur obéisse. Il règle ses problèmes, immédiatement, en direct avec l'un ou l'autre de nous. Il comprend ainsi que la discipline n'est pas l'affaire de l'homme mais un travail d'équipe entre parents », affirme un papa.

L'autorité est un travail d'équipe qui :
- apporte à l'enfant stabilité et sécurité affective ;
- lui permet de sentir qu'il existe une constance dans les règles et une cohérence entre ses parents.

L'avis du pédopsychiatre

. . . .

L'autorité du paterfamilias n'existe plus... Où la trouver désormais ? Indifféremment du côté du père comme de la mère ?

Nous avons parlé de l'autorité dans sa dimension structurante. Mais il convient aussi de parler d'autorité morale en ce qu'elle introduit l'enfant très tôt dans le registre de l'éthique : le respect de l'autre et des valeurs humaines.

Et là, les rôles du père et de la mère sont complémentaires et se renforcent l'un l'autre. On sait combien l'enfant a tendance à reproduire, du moins au début, le comportement social de ses parents et leurs attitudes vis-à-vis de leurs pairs. L'autorité est aussi une façon de guider l'enfant vers le respect des valeurs morales.

La crise d'opposition des 2 ans s'adresse-t-elle davantage au père ou à la mère ?

La crise d'opposition est destinée aux deux parents. Elle a généralement comme fonction de permettre à l'enfant de marquer son « moi » et de le soutenir devant son père et sa mère. Cette démarche vise à affirmer son espace personnel et à rehausser son identité et sa personnalité. Elle marque aussi, et c'est fondamental, les prémices d'une avancée vers l'autonomie qu'il convient de soutenir.

L'image du père **puissant** et **protecteur**

Les pères jouent un rôle essentiel dans la construction de la personnalité et de l'identité de leur enfant. Les liens affectifs qui se tissent diffèrent pourtant si l'enfant est un garçon ou une fille.

Vers 3 ans, la petite fille idéalise son papa, elle en fait son héros, cherche à le séduire, tente d'évincer la maman... un piège dans lequel les pères doivent éviter de tomber. Le petit garçon, lui, voit dans son père son premier modèle d'homme. Il s'identifie à lui, envie sa puissance, veut l'imiter à tout prix, devenir aussi fort que lui. Vers 3 ans, il va cependant le considérer comme un rival, lorsque, en plein complexe d'Œdipe, il tombera amoureux de sa maman. Cette période d'opposition, même si elle est normale, sera moins intense si le père est complice et très impliqué dans la vie de son enfant.

Les liens affectifs tissés pendant la petite enfance seront aussi d'un grand secours lors des conflits ou des interrogations de l'adolescence. Un enfant qui a l'image d'un père rassurant et protecteur viendra naturellement chercher des réponses auprès de lui.

Le complexe d'Œdipe

- Le complexe d'Œdipe, tel qu'il a été étudié par Freud, constitue une étape normale du développement de l'enfant.
- L'enfant est attiré par le parent du sexe opposé et, à l'inverse, manifeste de l'hostilité envers l'autre.

L'avis du pédopsychiatre

· ·

Tous les enfants passent-ils par cette fameuse phase du complexe d'Œdipe ?

La phase du complexe d'Œdipe est essentielle pour la structuration de l'enfant, pour ses repères et son identification aux images parentales, dans leur différence. Cette phase est par essence conflictuelle, car elle oppose le garçon à son père puisqu'il convoite la mère, et l'enfant se heurte à cet interdit majeur qui organise sa personnalité, son fonctionnement et donc sa relation aux autres.

La fille, de son côté, a de l'inclination pour son père mais mesure rapidement le poids de l'interdit qui participe ici aussi à son organisation interne.

Comment réagir en tant que parents ?

Le complexe d'Œdipe, du fait des conflits qu'il entraîne puis de leur résolution, constitue une étape essentielle. Les parents doivent le savoir et signifier à l'enfant que poser des limites et un cadre est une marque de respect et le témoignage d'un amour qui souligne les places respectives et inamovibles de chacun.

Concilier vie
professionnelle
et vie **familiale**

Beaucoup de pères seraient partants pour pouvoir quitter plus tôt le travail afin d'aller chercher leur enfant à la crèche ou de le garder lorsqu'il est malade. Mais il est souvent difficile d'obtenir de son employeur ce type d'arrangement sans être pénalisé.

Permettre au père de s'occuper de son enfant ne devrait pourtant pas être une faveur. Le modèle scandinave en est un parfait exemple : il recommande de prendre un congé de paternité de 4 semaines pendant la première année de l'enfant.

Même si le temps que passent les pères à la maison avec leur enfant n'est pas aussi élastique qu'ils le souhaiteraient, ces derniers s'efforcent de plus en plus d'en faire un temps de qualité.

Depuis 2009, il existe une charte de la parentalité où l'entreprise s'engage notamment à :
- respecter l'évolution professionnelle du salarié-parent ;
- faciliter la conciliation vie professionnelle-vie familiale du salarié avec, par exemple, l'interdiction d'organiser des réunions avant 9 heures et après 18 heures ;
- proposer au salarié-parent un environnement mieux adapté aux contraintes familiales grâce, par exemple, à un système de garde occasionnelle d'enfant malade ou à une crèche interentreprises.

L'avis du pédopsychiatre

Est-ce plus difficile pour les papas d'aujourd'hui qui ont envie de réussir leur vie professionnelle, sans sacrifier leur vie de famille ?

Cette question s'est longtemps posée et se pose encore pour les mères, qui doivent mener conjointement plusieurs pôles d'activité. Il est intéressant de voir qu'elle concerne maintenant les pères, avec cependant moins d'acuité – sauf pour ceux qui ont choisi d'être présents auprès de leur bébé au-delà des premiers jours.

Cette implication du père rééquilibre-t-elle un peu la donne en soulageant la mère, qui n'a plus à assumer seule les fonctions de mère et de femme active ?

En effet, la mère est de moins en moins seule à devoir remplir les deux fonctions. Ajoutons que la présence du père est de plus en plus sollicitée par les jeunes enfants, qui ne s'accommodent plus comme jadis d'un père absent et fantomatique... Les enfants aiment jouer et partager des moments de complicité avec lui. Ils renforcent ainsi sa place, et le père s'en trouve gratifié et d'autant plus désireux de combiner de manière plus harmonieuse encore sa vie de famille et son activité professionnelle.

Les bons rituels

★ Un petit enfant a besoin de sentir que son papa est le plus grand, le plus beau, le plus fort, alors, ne le décevez pas ! Pour cela, ne ratez sous aucun prétexte les moments importants de sa vie : aider à organiser la fête de fin d'année à la crèche, animer ses premiers goûters d'anniversaire...

★ Les activités ludiques peuvent devenir de véritables rituels. Profitez du week-end pour sortir seul avec votre enfant, faites avec lui de la gymnastique au parc, mettez vos rollers lorsque vous le promenez en poussette, apprenez-lui à faire des galipettes dans l'herbe... Veillez, en revanche, à privilégier les jeux calmes le soir plutôt que des jeux de poursuite et de bagarre qui excitent. Préférez les exercices où l'on imite les animaux, les jeux de balle que l'on fait rouler sur le corps de l'enfant pour le délasser ou les petits massages des mains et des pieds.

★ Si votre enfant semble parfois ne pas avoir envie de vous dire bonjour lorsque vous rentrez le soir, multipliez les moments à deux : instituez, par exemple, un quart d'heure de jeu quotidien. Vous verrez que, très rapidement, il attendra avec impatience votre retour et votre rituel de jeu.

La période du complexe d'Œdipe

★ Si votre petite fille vous manifeste un amour inconditionnel et rejette sa maman, ne rentrez pas dans son jeu. Mettez en valeur votre femme, offrez-lui des fleurs, sortez en amoureux.

En contrepartie, offrez à votre princesse un quart d'heure de jeu quotidien au cours duquel elle aura le droit de décider – raisonnablement – de tout.

★ Avec votre garçon de 2-3 ans, faites des activités « viriles » : prises de judo, jeu d'épées (en mousse), football... Ces grands moments de complicité renforceront son sentiment d'admiration pour vous et favoriseront la construction de son identité.

Des pères tous différents

Le père d'aujourd'hui est souvent en quête de sa nouvelle identité.

Doit-il, sans complexe, assumer son désir de materner son enfant au même titre que la maman, ou opter pour le rôle du papa copain, dont la fonction principale est celle d'un formidable partenaire de jeu ? Certains culpabilisent lorsqu'ils sont obligés de rentrer tard à la maison ou de se déplacer pour leur travail, et craignent de ne pas être assez présents. À l'inverse, les pères au foyer, encore peu nombreux, qui veulent élever leur enfant, doivent accepter avec une certaine philosophie d'être traités comme des spécimens rares... Tous ces papas aux envies ou préoccupations diverses ont en commun un même souci : prendre soin de leur enfant. Ils y excelleront s'ils savent cultiver leurs différences en harmonie avec la maman.

Le papa **surprotecteur**

Certains pères ressentent un besoin très fort et permanent de s'occuper de leur enfant, de le protéger, de le chouchouter. C'est évidemment formidable pour un petit enfant d'avoir un papa sur lequel il peut compter nuit et jour.

Mais, involontairement, ces papas peuvent adopter des attitudes surprotectrices qu'il vaut mieux éviter, au risque d'entraver l'apprentissage de l'autonomie de leur enfant. Il est indispensable d'apprendre peu à peu à l'enfant à se détacher et à expérimenter des situations sans son parent.

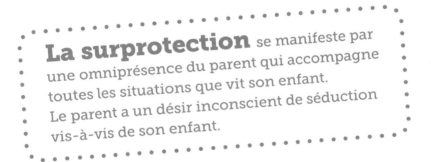

La surprotection se manifeste par une omniprésence du parent qui accompagne toutes les situations que vit son enfant. Le parent a un désir inconscient de séduction vis-à-vis de son enfant.

L'avis du pédopsychiatre

Quelles conséquences peut avoir une attitude surprotectrice sur un enfant de 2 à 6 ans ?

Une telle attitude peut contrarier les processus évolutifs de l'enfant, qui aura tendance à rester confiné dans des positions régressives, accompagnées, le plus souvent, d'une perte de confiance en lui-même. Il faut ajouter que l'enfant est souvent complaisant dans la mesure où il peut comprendre la surprotection en provenance de ses parents comme une preuve d'amour. Dès lors, grandir l'exposerait au risque de perdre leur hyper-sollicitude. C'est ainsi que la surprotection est entretenue par l'enfant lui-même et qu'elle le maintient dans ses comportements immatures.

Un papa surprotecteur doit-il changer le regard qu'il porte sur son enfant ?

Le regard porté sur l'enfant doit être celui d'un être en devenir et en constante évolution qui doit prendre certains risques – mesurés – par lui-même et apprendre à agir seul.

La tentation de surprotection qu'elle vienne du père ou de la mère doit être freinée le plus possible.

En avoir conscience est déjà un très bon signe qui permet, le cas échéant, de se faire aider.

Le papa **copain**

Il n'y a rien de plus agréable pour un jeune enfant que d'avoir un papa toujours prêt à jouer ou à faire le clown. Plus tard, s'il rencontre un problème, il saura se confier à ce papa avec qui il aura partagé, très tôt, d'intenses moments de complicité.

Mais un papa rigolo et farceur, un bon copain de jeu, ne doit pas oublier de fixer des limites quand il le faut. Refuser de faire preuve d'autorité, jouer au grand frère et laisser la maman dicter les règles – voire la contredire pour se faire apprécier de l'enfant – ne sont pas de bonnes attitudes. À ce jeu-là, l'enfant risque de se transformer en véritable petit tyran. L'idéal ? Veiller à ce que chacun des parents, à sa façon, propose à l'enfant jeux et câlins, tout en restant solidaires et à l'unisson sur les questions éducatives.

Les points forts du papa copain

- Il est ravi de rester seul avec son enfant quand la maman fait une petite pause.
- Il est toujours partant pour des sorties et des balades.
- Il déploie des trésors d'imagination pour jouer avec son enfant.

L'avis du pédopsychiatre

Un papa copain peut-il être un bon modèle masculin pour son enfant ?

Les enfants souhaitent implicitement que les rôles parentaux soient précisément marqués pour être facilement identifiés. Une trop grande tolérance de la part des pères peut entraîner une certaine insécurité, voire une tendance à la provocation pour mesurer les limites.

La complicité, les échanges et la connivence avec un enfant sont bien sûr souhaitables. Mais le père n'est pas un copain. Il est précieux que chacun conserve sa place.

Les pères ayant reçu une éducation particulièrement rigide ont-ils tendance, a contrario, à être des pères très détendus ?

Je ne le pense pas. L'inverse se vérifie davantage : un père ayant reçu ce type d'éducation va le reproduire en direction de son enfant s'il estime que cette rigueur a porté ses fruits. Mais ne caricaturons pas : un père sévère n'est pas forcément rigide. Il sait souvent dialoguer et écouter son enfant. L'important comme toujours est dans l'équilibre : donner à l'enfant des règles sans oublier de lui montrer l'amour et le respect qu'on lui porte.

Le papa **souvent absent**

Comment faire, lorsqu'on est un papa qui exerce un métier très prenant ou qui est très souvent en voyage d'affaires, pour ne pas devenir un étranger aux yeux de son enfant ? La bonne attitude consiste à compenser ces absences régulières en s'organisant avec la maman pour que les temps passés avec l'enfant soient de grande qualité.

Mais il ne faut pas non plus négliger les activités quotidiennes : le bain, les courses, la cuisine seront de vrais moments d'échanges...

Pensez aussi à multiplier les petits rituels à trois : le petit déjeuner du dimanche dans le lit parental, la balade en famille à vélo, la piscine... Plus que la quantité, c'est la qualité des moments passés en famille qui comblera sans peine les absences.

Pensez à laisser

à votre enfant un petit mot lorsque vous vous absentez plusieurs jours.
Communiquez avec lui lorsque vous partez : dites-lui quand vous rentrerez et expliquez-lui que, même si vous êtes loin, vous pensez à lui.

Tous secteurs confondus, les hommes représentent 66 % des salariés très souvent en partance.

L'avis du pédopsychiatre

Un papa qui voit peu son enfant a parfois tendance à accéder à tous ses désirs. Que penser d'une telle attitude ?

L'image positive qu'un enfant peut avoir de son père ne se construit pas grâce à une extrême tolérance. L'enfant est toujours sensible au caractère « juste » des décisions paternelles. Il perçoit la culpabilité de son père en cas de trop grande tolérance et a tendance à s'approprier sa souffrance ou son embarras.

Est-il positif de parler à l'enfant de son père absent ?

Absolument. Il est indispensable que la mère parle à l'enfant de son père, afin qu'il reste présent et qu'il garde sa place au sein de la famille. C'est pour elle l'occasion de le légitimer dans son rôle, malgré son absence physique. Ce discours est précieux dans le cas d'un papa qui voyage beaucoup, par exemple, comme dans les cas de séparations.

Le papa **à la maison**

Certaines situations professionnelles ou des choix de vie amènent parfois les pères à rester à la maison et à beaucoup s'occuper de leur enfant. Pour que tout fonctionne au mieux, il faut avant tout que la décision soit mûrement réfléchie et partagée.

Si la maman travaille à l'extérieur, elle ne doit ressentir aucune culpabilité, et le papa doit assumer parfaitement de ne pas faire comme tout le monde, et accepter un certain isolement. « Même si j'ai décidé de mon plein gré de m'occuper de mon bébé, je me sens toujours un peu à part », confie un papa.

Le papa à la maison doit aussi penser à s'éclipser de temps à autre pour laisser à sa compagne des moments de tête à tête avec l'enfant.

Même s'ils représentent une minorité, les pères au foyer sont de plus en plus nombreux.

- Environ 2 % d'entre eux s'occupent à temps plein des enfants pendant que la maman travaille.
- De 15 à 20 % des pères assurent seuls la garde des enfants dans les familles monoparentales.

L'avis du pédopsychiatre

Perte de l'identité masculine, de la virilité... les critiques et les préjugés négatifs sont souvent au rendez-vous lorsqu'un papa annonce qu'il va garder ses enfants. Comment ne pas se sentir en marge des autres ?

Ce modèle familial encore assez peu répandu correspond à une petite révolution puisque les soins de puériculture et l'accompagnement du jeune enfant ne sont plus l'apanage exclusif de la mère. Cette démarche courageuse mérite d'être saluée quand elle provient d'un choix et d'un double consentement assumés.

Le père peut d'autant mieux remplir ces nouvelles fonctions sans voir son identité vaciller s'il est lui-même très solidement assuré dans sa masculinité. Il peut ainsi se consacrer à ses nouvelles tâches sans réticence et les exercer avec talent tandis que le sentiment de sa virilité n'est en rien affecté.

Les enfants élevés par des papas à la maison ont-ils plus souvent une relation privilégiée avec eux ?

Oui, cette relation privilégiée se développe et s'installe. Elle est importante, mais il n'est pas question pour autant qu'elle vienne en lieu et place de la relation à la mère. Les deux doivent cohabiter de manière harmonieuse et équilibrée. Elles ne sont pas interchangeables et le père ne doit pas chercher à supplanter la mère et à occulter son rôle. Il doit, en effet, continuer d'exercer son indispensable fonction qui est de soutenir et d'accompagner son enfant dans sa différenciation et son autonomie.

Le papa **stressé**

La place du papa dépend souvent de celle que la maman lui laisse. Même s'il est très impliqué, un papa sous surveillance, à qui la maman ne fait pas confiance, peut douter de sa capacité à bien faire et vivre avec stress chaque moment passé avec son enfant. « J'ai l'impression que je fais toujours moins bien que la maman qui me dispense mille conseils dès que je suis avec notre enfant, raconte un papa. J'ai toujours peur de mal faire ! »

Si une maman ne veut pas voir son compagnon se désengager de son rôle, elle doit renoncer à un certain sentiment de toute-puissance et lui laisser une place. Il faut accepter les initiatives, les gestes de l'autre, parfois ses erreurs ou ses maladresses...

Des travaux ont montré

qu'il existait un lien entre la relation conjugale avant la naissance et la relation coparentale après la naissance.
De bonnes interactions conjugales avant la naissance de l'enfant conduiront à une bonne coparentalité.

L'avis du pédopsychiatre

Comment réagir quand une maman considère tout ce qui concerne son enfant comme un domaine réservé ?

Sans offusquer les mères, on pourrait dire que l'enfant ne relève jamais de leur domaine réservé ! La place et la fonction des mères sont prévalentes et essentielles certes, mais les pères ont eux aussi leurs prérogatives et leur place pour cette indispensable triangulation dont la fonction est de permettre à l'enfant de gagner en autonomie et en indépendance.

C'est la spécificité de chaque parent, dans les soins comme dans tous les aspects de l'éducation, qui permet à l'enfant de se forger l'image d'un véritable couple parental dans lequel les fonctions sont partagées. N'oublions pas que c'est aussi la mère, par la place qu'elle laisse à son conjoint, par la confiance qu'elle lui témoigne et par le regard qu'elle porte sur lui, qui fait le père.

Que conseiller à une maman angoissée qui n'ose pas lâcher prise et qui n'arrive pas à faire totalement confiance au père lorsqu'il s'occupe de l'enfant ?

Il est, d'une certaine manière, logique qu'une maman doute au début des compétences de son conjoint... comme des siennes.

Cependant, le père acquiert au fil du temps une certaine habileté dont elle peut constater l'effet bénéfique sur l'enfant et sur elle-même. N'oublions pas que l'enfant est aussi sensible au caractère détendu des deux parents et il s'autorise ainsi à prendre du plaisir au sein de cette relation.

Enfin, il est important qu'une mère garde en mémoire que, pour bien grandir, son enfant ne doit pas se sentir prisonnier d'un amour exclusif.

Le papa complice

★ Si vous aimez vous amuser avec votre enfant, veillez à ne pas prendre trop de place ! Un papa copain, c'est bien pour montrer comment jouer. Mais si vous faites tout à sa place en montant une pyramide de cubes, en jonglant avec ses balles ou en lançant ses voitures à tout vitesse sur le sol, l'enfant, impressionné, hésitera à prendre des initiatives.

Le papa souvent absent

★ Lorsque vous partez en voyage professionnel, les petites vidéos rigolotes transmises par Internet ou via le portable permettront de maintenir le contact.

★ Évitez les appels téléphoniques : avant 2 ans, un enfant a du mal à comprendre le principe du téléphone.

Entendre au loin la voix du papa peut lui procurer une émotion trop forte qui lui sera difficile à gérer.

★ Lors de longs déplacements professionnels, pensez toujours à rapporter un petit cadeau.

★ Même si vous êtes très pris par votre travail, essayez de ne pas rater les anniversaires ou la fête de la crèche ou de l'école. Ce sont des moments très importants pour un enfant. Ces jours-là, votre enfant sera fier de présenter son papa à ses amis, heureux de le voir organiser des jeux pour les amuser.

Le papa à la maison

★ Si vous avez choisi de travailler à domicile pour passer plus de temps avec votre enfant, sachez que vous ne pourrez réellement travailler que lorsque le bébé dormira. Avec des enfants plus grands et scolarisés, s'occuper correctement d'une maison prend en général 4 heures par jour 7 jours sur 7, soit 28 heures par semaine (sans compter les vacances pendant lesquelles il faut s'occuper des enfants à temps complet). Ce planning, déjà bien chargé, demande une bonne organisation si l'on veut être à la fois un père au foyer et un papa qui exerce un travail à mi-temps à domicile.

Le congé parental

⭐ Tout salarié peut bénéficier d'un congé parental d'éducation s'il a plus d'un an d'ancienneté dans l'entreprise.

⭐ Le congé parental peut être pris à n'importe quel moment à partir de la fin du congé de paternité jusqu'au 3e anniversaire de l'enfant.

⭐ Sa durée initiale est d'un an, mais le congé parental peut être prolongé deux fois, sans dépasser le 3e anniversaire de l'enfant.

⭐ Si vous souhaitez combiner travail et garde de votre enfant, vous pouvez opter pour un temps partiel qui doit atteindre un minimum de 16 heures par semaine.

⭐ Un employeur ne peut refuser à un salarié de prendre un congé parental.

Petites idées, coups de pouce, jeux, bons gestes pour porter bébé, lui donner le biberon et le bain. Piochez dans la boîte à outils du nouveau papa !

 ## PORTER BÉBÉ

Plusieurs positions apaiseront et berceront bébé :

La « classique »
Bébé est contre votre ventre, une main soutient son dos et sa nuque, l'autre, ses fesses.

La « panoramique »
Ses fesses sont sur votre bras et sa tête contre votre épaule pour qu'il puisse voir ce qui l'entoure, en veillant toujours à lui soutenir la nuque et le dos avec l'une de vos mains.

La « calmante »
Le ventre de bébé est en appui sur votre avant-bras. Sa tête repose dans le creux de votre coude. Cette position soulagera un bébé qui a des coliques.

 **CHANGER BÉBÉ**

★ Lavez-vous les mains.

★ Sur la table à langer, préparez : liniment, coton ou lingettes, sac plastique.

★ Ouvrez la couche sale en repliant les attaches adhésives sur elles-mêmes pour éviter qu'elles ne se collent sur la peau de bébé.

★ Avant de retirer la couche, éliminez à l'aide d'une lingette ce qui est collé à sa peau.

★ Soulevez les fesses de bébé en accompagnant ses jambes vers l'arrière : son dos s'enroule légèrement et vous attrapez la couche sale.

★ Nettoyez ensuite ses fesses, de préférence avec du coton et du liniment (un produit naturel à base d'huile d'olive et d'eau de chaux).

★ Glissez la couche propre sous les fesses. Veillez à ne pas trop la serrer, à bien placer le pénis du petit garçon vers le bas pour éviter les inondations vers le haut, lorsqu'il fera pipi.

★ Gardez toujours une main sur le ventre du bébé pendant tout le temps du change.

 **DONNER LE BAIN**

★ Nettoyez les fesses de bébé avant de le mettre dans le bain pour éviter de souiller l'eau.

★ Prévoyez une grande serviette éponge à proximité immédiate de la baignoire.

★ Veillez à ce que la salle de bains soit suffisamment chauffée et sans courants d'air.

★ Vérifiez la température de l'eau, qui ne doit pas excéder 37 °C.

★ Pour les bébés jusqu'à 6 mois, remplissez la baignoire avec un fond d'eau. Avec les plus grands, l'eau ne doit jamais dépasser leurs hanches et ils ne doivent jamais se lever dans l'eau pendant leur bain.

★ Savonnez doucement le bébé d'une main, l'autre soutenant sa nuque et sa tête.

★ Lavez-le avec vos mains, c'est plus hygiénique et cela favorise le contact avec le bébé.

★ Rincez bébé sans l'éclabousser.

★ Pour le sécher, tamponnez délicatement son corps avec une serviette éponge sans oublier les replis de sa peau.

★ Attention en sortant bébé du bain, vos mains mouillées sont glissantes.

🍼 DONNER LE BIBERON

⭐ Lavez-vous soigneusement les mains avant de préparer le biberon.

⭐ Remplissez le biberon de la quantité d'eau nécessaire.

⭐ Si vous choisissez de faire tiédir l'eau, préférez le chauffe-biberon au micro-ondes.

⭐ Ajoutez la dose de lait puis secouez le biberon pour obtenir un mélange homogène.

⭐ Contrôlez la température du biberon. Pour vérifier que le lait n'est pas trop chaud, vous pouvez verser quelques gouttes sur l'intérieur de votre poignet.

⭐ Mettez un bavoir autour du cou de bébé, installez-vous confortablement, le bébé bien calé sur votre bras.

⭐ Positionnez la tétine du biberon : un seul trait ou le numéro 1 correspond à la vitesse la plus faible.

⭐ Il est toujours préférable que bébé prenne son temps pour boire son biberon. Un quart d'heure est une bonne moyenne pour prendre son repas.

⭐ Le biberon doit toujours être bien incliné et la tétine remplie de lait.

⭐ En cours de repas, il est conseillé de faire une pause afin que bébé fasse un premier rot.

★ À la fin du repas, posez une serviette sur votre épaule et portez votre bébé bien droit, pour faciliter son rot.

★ Si le bébé ne termine pas son biberon, jetez le lait.

★ Un biberon peut être conservé une heure maximum à température ambiante.

CALMER UN BÉBÉ QUI PLEURE

★ Bercez-le en chantant à voix basse.

★ Massez-lui doucement le ventre avec la paume de votre main en tournant dans le sens des aiguilles d'une montre.

★ Parlez à votre bébé très doucement en prenant une voix grave.

★ Posez-le en couche sur votre torse, sa peau contre la vôtre (sous une couverture bien chaude, pour éviter qu'il ne prenne froid).

🪀 DES IDÉES POUR JOUER AVEC BÉBÉ

0-3 mois

★ Faites courir vos doigts sur le corps du bébé en partant du ventre et en remontant vers le cou, en lui chantant une petite comptine.

★ Bavardez, parlez à bébé de votre journée, promenez-le dans la maison en nommant tous les objets, posez-lui des questions en y apportant, tant qu'il ne sait pas encore gazouiller, les réponses.

★ Proposez à bébé, en dehors des périodes de digestion, de faire de la gym : jambe tendue, jambe fléchie, comme s'il pédalait.

★ Enfilez des chaussettes sur vos mains, de préférence de couleurs différentes et très contrastées, et animez-les comme des marionnettes.

3-6 mois

★ Transformez votre visage en mettant un nez de clown, des lunettes, en collant une gommette sur votre menton.

★ Cachez votre visage derrière vos mains tendues, puis repliez les doigts l'un après l'autre pour faire apparaître votre visage.

★ Gonflez vos joues et appuyez dessus d'un coup sec avec le plat de la main pour les faire claquer.

★ Clignez d'un œil puis de l'autre.

★ Tirez la langue et attendez que bébé vous imite.

6-9 mois

★ Construisez une grande pyramide de livres entrouverts que bébé fera tomber.

★ Jouez à cacher son doudou sous un foulard et à le faire réapparaître.

★ Plongez un cube dans son bain pour le voir remonter à la surface rapidement.

★ Construisez une tour avec tous ses cubes et ses boîtes et invitez-le à la pousser avec sa main.

★ En ouvrant les deux côtés d'un gros carton de forme allongée faites un tunnel. Installez le bébé à l'entrée du tunnel et placez-vous de l'autre côté. Incitez ensuite bébé à ramper pour le traverser en agitant une clochette ou l'un de ses jouets.

★ Placez bébé sur une grosse couverture au sol et faites-le rouler doucement dans un mouvement de va-et-vient.

🥄 LES RITUELS SPÉCIAL PAPA

0-6 mois

★ Sur le chemin de la crèche, prenez l'habitude de siffler toujours le même air joyeux, parlez à bébé, sur un ton rassurant, de ce que vous allez faire de votre journée et dites-lui que vous le retrouverez le soir.

6-12 mois

★ Si vous rentrez le soir juste au moment où votre enfant va se coucher, portez-le en faisant le tour de la maison ensemble et racontez-lui votre journée.

18 mois-3 ans

★ À l'heure du coucher, laissez-le filer dans sa chambre pour se cacher, puis jouez ensuite à le trouver pour le mettre au lit, avant de lui raconter une histoire.

www.grandiravecnathan.com
- Formalités
- Déclaration de naissance
- Demande de congé
  de paternité
- Faire-part de naissance
- Remerciements des cadeaux

Édition : Astrid Desbordes
Conception graphique : Laurence Ningre
Maquette : Alice Nussbaum